# Chile

GW

Editorial Kactus

Chile
Kactus

# Chile

Editor / *Publisher*
**Dominique Verhasselt**

**Editorial Kactus-Sipimex**
Casilla 16119 - Correo 9
Santiago - Chile
Tel.: (56) 2 236 11 45
Fax: (56) 2 236 11 41
Email: kactus@entelchile.net
Internet: www.kactus.cl

Diseño / *Layout*
**Kactus Digital**

**Jaime Alegría**
**Andrés Díaz**
**Víctor Toro**

Preprensa Digital / *Digital Press*
**Kactus Digital**
**Chromatic**

Impresión / *Printing*
**Morgan Impresores**

Fotógrafos / *Photographers*
**© KACTUS FOTO**
Armando Araneda (AA)
Eugenio Hughes (EH)
Teresa Marx (TM)
Gastón Oyarzún (GO)
Martín Thomas (MT)
Guy Wenborne (GW)
*y/and* Juan Pablo Lira (JPL)



Registro de Propiedad Intelectual: Inscripción N° 102413
ISBN: 956-7136-11-4

Autorizada su circulación en cuanto a los mapa y citas que contiene esta obra, referentes o relacionadas con los límites internacionales y fronteras del territorio nacional, por Resolución N° 450 del 2 de diciembre de 1997 de la Dirección Nacional de Fronteras y Límites del Estado.
La edición y circulación de mapas, cartas geográficas u otros impresos y documentos que se refieran o relacionen con los límites y fronteras de Chile, no comprometen en modo alguno, al Estado de Chile, de acuerdo con el Art. 2°, letra G, de DFL N° 83, de 1979, del Ministerio de Relaciones Exteriores.

*The maps that appear in this publication have been authorized by the National Directorate of Chilean Frontiers and Boundaries; Resolution N° 450 of 2th. december 1997 With reference to Article 2nd, letter G, of D.F.L. N° 83, 1979, from the Ministry of Foreign Affairs, the publication and distribution of maps related to Chile's frontiers and limits, do not commit the Republic of Chile in any way.*

Portada/*Cover* (EH)

Araucaria, árbol típico de Chile. Al fondo el volcán Llaima. Parque Nacional Conguillío.

*Araucaria, a typical and rare tree of Chile. In the background Llaima Volcano. Conguillio National Park.*

# Chile

JPL

Editorial Kactus

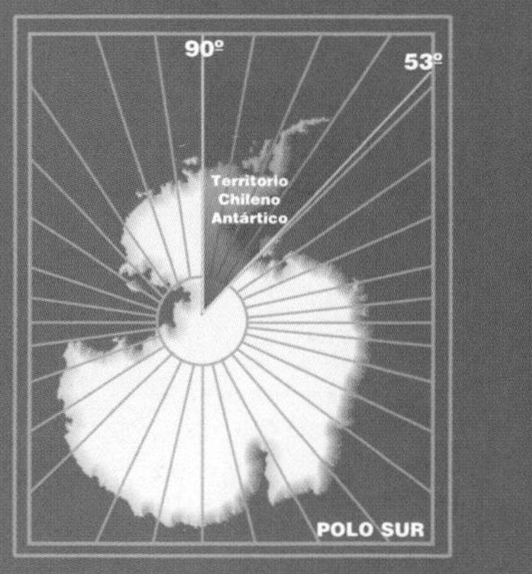


| REGIÓN | CAPITAL | PROVINCIA | CAPITAL |
|---|---|---|---|
| I Región<br>De Tarapacá | Iquique | Parinacota<br>Arica<br>Iquique | Putre<br>Arica<br>Iquique |
| II Región<br>De Antofagasta | Antofagasta | Tocopilla<br>El Loa<br>Antofagasta | Tocopilla<br>Calama<br>Antofagasta |
| III Región<br>De Atacama | Copiapó | Chañaral<br>Copiapó<br>Huasco | Chañaral<br>Copiapó<br>Vallenar |
| IV Región<br>De Coquimbo | La Serena | Elqui<br>Limarí<br>Choapa | Coquimbo<br>Ovalle<br>Illapel |
| V Región<br>De Valparaíso | Valparaíso | Petorca<br>San Felipe<br>de Aconcagua<br>Quillota<br>Los Andes<br>Valparaíso<br>San Antonio<br>Isla de Pascua | La Ligua<br>San Felipe<br><br>Quillota<br>Los Andes<br>Valparaíso<br>San Antonio<br>Hanga Roa |
| Metropolitana<br>de Santiago | Santiago | Chacabuco<br>Santiago<br>Cordillera<br>Melipilla<br>Talagante<br>Maipo | Colina<br>Santiago<br>Puente Alto<br>Melipilla<br>Talagante<br>San Bernardo |
| VI Región<br>Del Libertador<br>General Bernardo<br>O'Higgins | Rancagua | Cachapoal<br>Cardenal Caro<br>Colchagua | Rancagua<br>Pichilemu<br>San Fernando |
| VII Región<br>Del Maule | Talca | Curicó<br>Talca<br>Cauquenes<br>Linares | Curicó<br>Talca<br>Cauquenes<br>Linares |
| VIII Región<br>Del Biobío | Concepción | Ñuble<br>Concepción<br>Biobío<br>Arauco | Chillán<br>Concepción<br>Los Angeles<br>Lebu |
| IX Región<br>De La Araucanía | Temuco | Malleco<br>Cautín | Angol<br>Temuco |
| X Región<br>De Los Lagos | Puerto Montt | Valdivia<br>Osorno<br>Llanquihue<br>Chiloé<br>Palena | Valdivia<br>Osorno<br>Puerto Montt<br>Castro<br>Chaitén |
| XI Región<br>Aisén del General<br>Carlos Ibáñez<br>del Campo | Coihaique | Aisén<br>Coihaique<br>General Carrera<br>Capitán Prat | Puerto Aisén<br>Coihaique<br>Chile Chico<br>Cochrane |
| XII Región<br>De Magallanes<br>y de la Antártica<br>Chilena | Punta Arenas | Ultima Esperanza<br>Magallanes<br>Tierra del Fuego<br>Antártica Chilena | Puerto Varas<br>Punta Arenas<br>Porvenir<br>Puerto Williams |

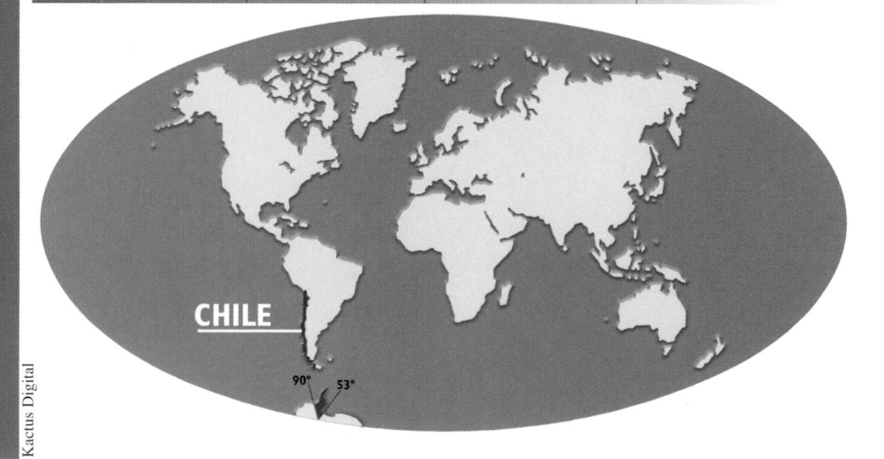

## ESPAÑOL HISTORIA

Luego de largos períodos de nomadismo, desde que los primeros hombres cazadores y pescadores comenzaron a poblar el territorio chileno, hace unos 12.000 años, se fueron instalando pueblos sedentarios poseedores de una cultura apreciada en sus construcciones, idioma y textiles. A la llegada de los españoles, el territorio estaba habitado por grupos con distintos grados de evolución cultural, social y económica, destacando entre ellos pueblos súbditos del Imperio Inca en el norte, mapuches en el centro-sur, huilliches en el sur y alacalufes, yaganes y onas en la zona austral.

En 1536, Diego de Almagro descubrió para España el territorio y en 1541, Pedro de Valdivia lo conquistó definitivamente, fundando las ciudades de Santiago, La Serena, Concepción, La Imperial, Villarrica y Angol. La incorporación de Chile a la Corona Española corresponde a una etapa de consolidación y formación. Ahí se crean las bases de la sociedad y surge el concepto de Chile como parte de la civilización occidental. Se desarrollan las instituciones que regulan el funcionamiento del Estado, nace un nuevo grupo humano, el mestizo, mezcla de indio y español, y aparece el sentimiento nacional del criollo, español nacido en Chile. Se da inicio a un sistema económico basado en la minería, agricultura y ganadería, apoyado por un tráfico comercial regular entre Valparaíso y El Callao, principal puerto de Perú, y desde Santiago a Buenos Aires por los pasos cordilleranos de los Andes. Durante la Colonia, la vida cultural cuenta con los primeros centros de educación, con una incipiente vida literaria, musical y plástica y con

GW

AA

Pucará de Quitor, fortaleza preincaica. *Pucará de Quitor, Pre-Inca stronghold.*

AA

Pedro de Valdivia. *Pedro de Valdivia.*

AA

Pacificación de la Araucanía. *Peace with the Araucanian Indians.*

## ENGLISH HISTORY

*Historians believe that the first inhabitants of the western seaboard of South America were nomadic tribes, hunters and fishermen, some 12,000 years ago. This territory, which is now the republic of Chile was home for a people with a high degree of development which has been deduced from archaeological discoveries relating to their buildings, use of language and knowledge of textiles. By the time the Spanish colonizers arrived, the country was inhabited by ethnic groups with different levels of cultural, social and economic development, notably the Indians of the Inca Empire in the north, Mapuches in the southern and central region, the Huilliches in the south and the Alacalufes, Yaganes and Onas in the deep south and Magallanes. In 1536, Diego de Almagro discovered Chile in the name of Spain and in 1541, Pedro de Valdivia established the first permanent settlement and founded the cities of Santiago, La Serena, Concepcion, La Imperial, Villarrica and Angol.*

*The colonization of Chile coincided with a period of urban development, the bases of a civilized society were created and the concept of Chile as part of western civilization was born. The infrastructure needed for state administration was put in place. A new society appeared, made up of mestizos, people of mixed Indian and Spanish blood, and the "criollos", people of Spanish blood in Chile. An economic system based on mining, agriculture and stockbreeding started up, supported by regular trade between Valparaíso and El Callao, Peru's major port, and between Santiago and Buenos Aires, via the Andes mountain passes. During the Colonial period, the first educational establishments were set up*

ESPAÑOL las formas tradicionales de la artesanía y las costumbres chilenas. La Guerra de Arauco, entre mapuches y españoles, las devastaciones de piratas y destrucciones causadas por terremotos durante los siglos 16, 17 y 18, hicieron que el Chile colonial viviera una situación diferente a la del resto de la América española, modelando su carácter y personalidad.
Como consecuencia de la invasión napoleónica a España y el cautiverio de Fernando VII, se forma la Primera Junta de Gobierno, el 18 de septiembre de 1810, dándose los primeros pasos para alcanzar la autonomía total, la que se logra en 1818, con la Declaración de Independencia y el triunfo de Maipú, batalla con la que termina la guerra entre los leales al rey de España y los patriotas. Hasta 1830, Chile vive su etapa de formación política, período en el que se prueban fórmulas de gobierno de diversa índole. Con la labor del estadista Diego Portales comienza la época republicana.
Tres constituciones políticas, la de 1833, la de 1925 y la de 1980, con los ajustes necesarios y adecuados a los tiempos, han ido estableciendo las bases de la Nación, estructurando la administración del Estado, impulsando grandes obras públicas y desarrollando las áreas de educación, salud y vivienda. En esta última etapa, con la Constitución Política de 1980, Chile ha entrado de lleno al proceso de industrialización, tecnología y ciencia, fijándose como meta un continuo progreso social, económico y cultural, dentro de los marcos que otorga la estabilidad institucional.

EH

**Fuerte Bulnes, fundado en 1853.** *Forts Bulnes, funded in 1853.*

TM

La Moneda, sede de la Presidencia. *La Moneda, Presidential Palace.*

GW

**Bandera de Chile.** *The Chilean flag.*

Escudo de Chile. *Chilean Coat-of-Arms.*

ENGLISH *and cultural life took shape in the form of burgeoning literature, music and art, together with traditional arts and handicrafts and Chilean customs. The Arauco war between the Spanish and the Mapuches, frequent raids by pirates and the destruction caused by earthquakes in the 16th. 17th. and 18th. centuries made Chile's destiny, in Colonial times, very different from that of the rest of Spanish America and moulded its character and personality.*
*As a result of the Napoleonic invasion of Spain and the imprisonment of Ferdinand VIIth, Chile formed the First Government Junta on 18th September, 1810; thus, the first steps towards complete autonomy were taken. This became a reality in 1818, with the Declaration of Independence and following the triumph of Maipú, the battle which put an end to the war between the followers of the Spanish King and the Chilean patriots (Nationalists). Until 1830, Chile went through a phase of political consolidation, and various types of government were tried out. In 1830, at the instigation of the statesman, Diego Portales, the Republican era began. Chile's three political Constitutions (1833, 1925 and 1980), with the relevant amendments to keep in step with the times, have cemented the foundations of the State, creating a government administration, fostering important public works and developing the fields of education, health and housing. In the last stage, Chile has entered a period of industrialization, technology and science, aiming for continued social, economic and cultural development, within a framework of institutional stability.*

ESPAÑOL **GEOGRAFIA**

Chile posee una geografía y un clima muy variados. Los contrastes de su suelo –altas cumbres nevadas, amplias llanuras fértiles, selvas y pampas, extensas playas y abruptos arrecifes, desiertos calurosos, hielos polares– por la diversidad de sus gentes, de orígenes, lenguas, usos y costumbres, permitirían afirmar que el país es una verdadera síntesis de la Tierra, pero aunada en un cuerpo coherente, en una nación y en un sentimiento de patria.

Chile se encuentra ubicado en el extremo sudoeste de América, limitando con Perú al norte, con Bolivia y Argentina al este, con el Polo Sur en el extremo austral y con el Océano Pacífico al oeste.

La superficie continental e insular, incluyendo las islas del Pacífico, es de 756.096 $km^2$, ocupando un área más grande que Alemania, Austria e Italia juntas sin contar la extensión del Territorio Chileno Antártico, que comprende 1.250.000 $km^2$.

Su configuración geográfica, única en el mundo, está dada por un territorio continental de gran longitud y de poca anchura, enfrentado a una vasta extensión marítima y resguardado por la majestuosa Cordillera de los Andes, verdadera columna vertebral del país y reserva de recursos naturales y turísticos.

Más de 4.000 kms. de largo que median entre Arica, la ciudad más septentrional, y Puerto Williams, el centro urbano más austral de Chile y el mundo, equivalen a la distancia existente entre Madrid y Moscú, Río de Janeiro y Panamá, San Francisco y Nueva York. Esa característica, junto con la presencia de la cordillera y del mar, hacen posible que existan zonas geográficas muy definidas; éstas indican la versatilidad del territorio, posibilitan todo tipo

EH

**Alpacas en el Parque Nacional Lauca, I Región.** *Alpacas in the Lauca National Park Ist. Region.*

AA

**Valle de la Luna II Región.** *Valley of the Moon 2nd. Region.*

GO

**Nevado Ojos del Salado, la cumbre más alta de Chile (6.983 m.).** *Nevado Ojos del Salado, highest peak in Chile (6,983 m.).*

JPL

**Bahía Inglesa, III Región.** *Bahia Inglesa, 3rd. Region.*

ENGLISH **GEOGRAPHY**

*Chile's geography and climate are varied. The topographical contrasts –snowy mountain peaks, wide fertile plains, forests and "pampa", neverending beaches and steep cliffs, baking-hot deserts and the polar ice-cap– and the diversity of its population, with their individual origins, tongues, habits and customs, are proof that the country is a veritable synthesis of all the elements on Earth, brought together in a coherent body in one country, in a nation with a unique patriotic spirit.*

*Chile is situated in the southwest corner of the South American continent and borders on Peru to the north, Bolivia and Argentina to the east, the South Pole to the south and the Pacific Ocean to the west.*

*The total surface area, including Pacific island territories, is 756,096 $kms^2$, which is bigger than Germany, Austria and Italy put together. And that is not counting Chilean Antarctic Territory, which covers another 1,250,000 $kms^2$.*

*Chile's unique geography is made up of the continental mainland -an extremely long, thin strip of land- flanked by a vast expanse of ocean on one side and protected on the other by the majestic Andes mountain chain, the country's veritable backbone, a reserve of natural resources and of great importance for tourism.*

*The distance between Arica, Chile's northernmost city, and Puerto Williams, the southernmost city in the world, is 4,000 kms., which is the distance between Madrid and Moscow, Rio de Janeiro and Panama, or San Francisco and New York. Chile's extraordinary length and her proximity to the sea and the Andes are responsible for*

ESPAÑOL de climas y marcan los rasgos característicos de sus habitantes.

El suelo de Chile está formado por una depresión entre la Cordillera de los Andes y la Cordillera de la Costa. Esta última se ubica en las inmediaciones del mar. La Depresión Intermedia adquiere diversos nombres a medida que cambian la latitud y el clima, distinguiéndose cinco grandes regiones.

El Norte Grande, que ocupa casi un tercio del territorio continental, presenta una conformación geográfica desértica de clima seco y árido, y con una fluctuación térmica muy drástica entre el día y la noche. De muy baja densidad poblacional, las ciudades y pueblos se ubican en la costa, como Arica, Iquique, Antofagasta, cerca de los grandes yacimientos mineros, Calama, por ejemplo, en los oasis del desierto, Azapa, y en las proximidades de los lagos y lagunas del Altiplano, como Parinacota.

El Norte Chico o Zona de los Valles Transversales, entre los ríos Copiapó y Aconcagua, es un área de mayor vida vegetal y con un régimen de lluvias moderado. Los núcleos urbanos se ubican preferentemente en el interior de valles agrícolas y a orillas de ríos, siendo La Serena, Vicuña, Coquimbo, Caldera y Vallenar los más importantes.

Desde el río Aconcagua hasta la cuenca del río Biobío, se encuentran los verdes y fértiles valles de la Zona Central. Sus características climáticas hacen posible la existencia de las cuatro estaciones: veranos cálidos, otoños templados, inviernos lluviosos y primaveras soleadas. El promedio de sol diario que recibe el Valle Central es de más de 10 horas. Por las bondades del clima y el desarrollo económico existente en esta zona, se da la mayor concentración urbana y de-

EH

**Valle de Copiapó, III Región.** *Copiapó Valley, 3rd. Region.*

GW

**Cultivos en el Valle Central.** *Agriculture in the Central Valley.*

AA

**Parque Nacional Huerquehue, IX Región.** *Huerquehue National Park, 9th. Region.*

AA

**Volcán Villarrica IX Región.** *Villarrica Volcano 9th. Region.*

ENGLISH *very distinct and varied geographical regions that reflect the country's versatility, give rise to all types of climate and account for the regional characteristics of its inhabitants.*

*Chilean continental territory consists of a geographical depression running between the Andes mountains and the Coastal Mountain Chain, which, as its name implies, lies near the coast. The area between these two mountain ranges acquires different names and changes climate the further north or south one goes.*

*There are five major regions. "Norte Grande" takes up almost one third of the mainland territory and has the geographical characteristics of a desert, with a dry, arid climate and extreme night and day temperatures. It has few inhabitants per square kilometre and the main towns are found either on the coast (as in the case of Arica, Iquique and Antofagasta); close to the big mineral deposits, (e.g. Calama); in the desert oases, (Azapa, for example); and near the lakes and lagoons of the "altiplano" (e.g. the town of Parinacota).*

*"Norte Chico", or the transversal valley region, situated between the River Copiapó and the River Aconcagua, has more vegetation and moderate rainfall. The urban centres are located mainly in the fertile valleys or on the riverbanks, La Serena, Vicuña, Coquimbo, Caldera and Vallenar being the most important.*

*From the River Aconcagua to the basin of the River Biobío, are the green fertile valleys of the Central Region. There, the climate is divided into four distinct seasons: hot summers, cool autumns, rainy winters and sunny springs. The average daily sunshine is more than 10 hours. Owing to its mild climate and its economic deve-*

ESPAÑOL mográfica del país. Santiago, la capital de la República, cuenta con mas de 5.000.000 habitantes, siendo la ciudad más grande e importante del país. El puerto de Valparaíso y la ciudad-balneario de Viña del Mar, ambas de gran atractivo turístico, histórico y económico y unidas en la actualidad por el crecimiento urbano, albergan una población cercana a las 700.000 personas, en tanto Talcahuano, importante puerto y base naval, y Concepción, ciudad industrial, universitaria y de servicios, llegan a los 600.000 habitantes. Rancagua, centro urbano próximo a El Teniente, la mina de cobre subterránea más grande del mundo, sobrepasa las cien mil personas, siendo otra de las grandes ciudades del Valle Central.
Entre el río Bíobío y el Canal de Chacao, se extiende la Zona sur, de clima templado cálido lluvioso. La temperatura anual es baja, y su régimen de lluvias es permanente. Región de vastas praderas, volcanes en actividad, grandes lagos y anchos ríos; los núcleos urbanos y la población se asientan en las orillas de éstos. Temuco, Valdivia, Osorno y Puerto Montt, son las ciudades en las que se desarrolla la actividad económica, administrativa y de servicios de la región. En su interior se encuentran las maravillosas e impenetrables selvas de la Cordillera de Nahuelbuta y de los Andes, de gran riqueza ecológica.
Desde la Isla Grande de Chiloé hasta las islas Diego Ramírez, al sur del Cabo de Hornos, se conforma la llamada Zona de los Canales o Austral. De costas desmembradas, esta región posee clima marítimo lluvioso en los canales y templado lluvioso hacia el interior del continente.
De escasa concentración urbana, los asentamientos se

GW
**Parque Nacional Torres del Paine, XII Región.** *Torres del Paine National Park, 12th. Region.*

GW
**El Cabo de Hornos.** *Cape Horn.*

GW
**Iceberg en la Antártica.** *Iceberg in the Antarctic.*

GW
**Moai de Isla de Pascua.** *Moai of Easter Island.*

ENGLISH *lopment, the greatest concentration of population and urban centres are in this region. Santiago, the capital of the Republic, has more than 5,000,000 inhabitants and is the biggest and most important city in the country. The port of Valparaíso and the seaside resort of Viña del Mar have great historical and economic importance, as well as being tourists spots. They have both grown so much that they have virtually merged together and have a joint population of 700,000 inhabitants. Talcahuano, a major port and naval base, and Concepcion, an industrial, university and services city, have together at least 600,000 inhabitants. Rancagua, an urban centre situated near to "El Teniente", the largest underground copper mine in the world, has a population of more than 100,000 and is another of the Central Valley's major cities.*
*The area between the River Biobio and the Chacao Channel is called the Southern Region and has a cool, temperate, rainy climate. The average yearly temperature is low, while the heavy rainfall is a permanent characteristic. It is a region with extensive grass, active volcanoes, huge lakes and wide rivers, along whose banks settlements were founded. Temuco, Valdivia, Osorno, Puerto Montt are the region's economic and services centres. In the hinterland of this region, are the marvellous, impenetrable forests of the Nahuelbuta Cordillera and of the Andes mountain chain, with their great ecological riches.*
*The area between the main island of Chiloe and Diego Ramirez islands, south of Cape Horn, is called the Channel or the Austral Region. With its jagged coastline, the Channel Region has a rainy, maritime climate, while inland it is mild and*

ESPAÑOL ubican en la costa este de la isla de Chiloé, en los lagos fronterizos de la Patagonia y a orillas de canales y estrechos. Algunas de sus ciudades más importantes son Castro, Coihaique y Punta Arenas. Las posibilidades económicas que ofrece su geografía y clima son la ganadería en la Patagonia y Tierra del Fuego, la agricultura en Chiloé y la pesca en todo el litoral. Además de las zonas en que se divide Chile continental, están el Territorio Chileno Antártico y las islas esporádicas. El continente blanco tiene clima polar, con temperaturas que descienden bajo el cero grado centígrado, carece de vegetación y está cubierto permanentemente de hielo y nieve. El territorio continental chileno se abre al Océano Pacífico con miles de kilómetros de costas. En pleno océano, las islas chilenas destacan por su belleza, recursos naturales e interés histórico, como el archipiélago Juan Fernández y la Isla de Pascua, esta última a 3.760 kilómetros del continente.

Tan variada como la geografía es su flora y fauna: En el norte, flamencos, guanacos, vicuñas, llamas y alpacas. Más al sur, zorros, pumas, gatos de monte, ciervos, ñandúes y pudúes, lobos y elefantes marinos en las costas, pingüinos en la Antártica y todo tipo de aves, sobresaliendo el cóndor. La flora también está condicionada por los factores climáticos; en el norte, crecen quínoas y cactáceos y en la Cordillera de los Andes, la llareta. Arbustos y matorrales van creciendo hacia el sur, destacando el copihue, la flor nacional, y las grandes especies arbóreas, como el ciprés de Las Guaitecas, el alerce y principalmente la araucaria.

KF
Huemul. *Guemal.*

GW
Guanaco. *Guanaco.*

GW
Cóndor. *Condor.*

GW
Pingüino. *Penguin.*

ENGLISH *rainy. Population levels in this region are low and the settlements are found on the east coast of Chiloé Island, around the Patagonian lakes bordering on Argentina, and on the banks of the channels and straits. Castro, Coihaique and Punta Arenas are three of its major cities. The geography and climate of this region lend themselves to the following economic activities: stockbreeding (Patagonia and Tierra del Fuego); agriculture (Chiloe); and fishing (all along the coastline). In addition to these five major mainland regions, there are also Chilean territory in the Antarctic and several island territories. The Antarctic has a polar climate, with temperatures that go well below 0° C. The Chilean mainland with its thousands of kilometres of coastline is washed by the Pacific Ocean. In this ocean we find Chilean-owned islands such as the Juan Fernández archipelago and Easter Island, renowned for their beauty, natural resources and historical interest. Easter Island is 3,760 kilometres away from the Chilean mainland.*

*Chile's varied geography gives rise to equally varied flora and fauna: in the north are flamingoes, guanacos, vicuñas, llamas and alpacas. Further south are foxes, pumas, mountain cats, deer, ñandús and pudus; in coastal regions, seals and elephant seals; and in the Antarctic, penguins, as well as a wide variety of birds, the most famous being the condor. As for flora, that too is dependent on climatic factors: in the far north we only find 'quinoas` and cactaceae, while in the Andes we find "llareta". But further south, there is more vegetation. Of note is the "copihue", the Chilean national flower, and major species of trees such as the "guaitecas" cypress, the larch and principally the araucaria.*

EH

**Iquique.**
**Capital de la I Región.**
**Entre el Pacífico y el desierto.**

***Iquique.***
***Capital of the Ist. Region.***
***Between the Pacific and the Desert.***

GW

**Reñaca.**
**V Región.**
**Famoso balneario de Viña del Mar.**

***Reñaca.***
***5th. Region.***
***The International Resort of Viña del Mar.***

EH

**Valparaíso.**
**Capital de la V Región.**
**Principal puerto de Chile.**

***Valparaiso.***
***Capital of the 5th. Region.***
***The main Chilean Port.***

EH

**Santiago.**
**Capital de Chile.**
**Sector financiero.**

***Santiago.***
***Capital of Chile.***
***The Business sector.***

MT

**Concepción.**
**Capital de la VIII Región.**
**Segunda urbe de Chile.**

***Concepcion.***
***Capital of the 8th. Region.***
***Second City of Chile.***

AA

**Temuco.**
**Capital de la IX Región.**
**Centro de la cultura mapuche.**

***Temuco.***
***Capital of the 9th. Region.***
***Centre of the Mapuche indian culture.***

GW

**Valdivia.**
**X Región.**
**A la orilla del río Calle Calle.**

***Valdivia.***
***10th. Region.***
***On the banks of the river Calle Calle.***

AA

**Puerto Montt.**
**Capital de la X Región.**
**Los volcanes Osorno y Calbuco.**

***Puerto Montt.***
***Capital of the 10th. Region.***
***Osorno and Calbuco Volcanoes.***

GW

**Castro.**
**Capital del Archipiélago de Chiloé.**
**Su catedral y sus palafitos.**

***Castro.***
***Capital of the Chiloe Archipelago.***
***The Catedral and houses on Stilts.***

GW

**Coihaique.**
**Capital de la XI Región.**
**Tierra de pioneros.**

***Coihaique.***
***Capital of the 11th. Region.***
***Land of pioneers.***

AA

**Puerto Williams.**
**XII Región.**
**Ciudad más austral del mundo.**

***Puerto Williams.***
***12th. Region.***
***The most southerly city in the world.***

**ESPAÑOL** 

# ACTIVIDAD ECONOMICA

## MINERIA

El sector más rico de la economía chilena es la minería. Los grandes yacimientos de cobre que posee, lo hacen ocupar el segundo lugar de extracción en el mundo. La Gran Minería del Cobre está ubicada preferentemente en el norte del país, donde se encuentra Chuquicamata, la mina a tajo abierto más grande del mundo; otros grandes yacimientos son La Escondida y Cerro Colorado. Además del metal rojo, Chile posee un subsuelo y un fondo marino pródigos en recursos minerales y energéticos, como el salitre, ocupando el primer lugar de producción a nivel mundial. Otros minerales, como el hierro, bórax, molibdeno, oro, plata, litio, caliza, azufre, cinc, sal, yodo, yeso y barita constituyen la riqueza subterránea de Chile, en tanto el gas natural y el metanol, son en la actualidad importantes fuentes para el desarrollo económico.

## AGRICULTURA Y FORESTACION

Aun cuando la variedad geográfica y climática del territorio chileno incide en su agricultura, delimitando áreas o zonas, se da una producción homogénea, debido al clima templado existente en la mayor parte del país. En el norte, los microclimas de los oasis posibilitan la producción de guayabas, limones, aceitunas y todo tipo de hortalizas. El Norte Chico, por su parte, desarrolla el cultivo de la vid para la elaboración de pisco y vino. Es interesante constatar en toda la zona norte los esfuerzos para

AA

**Chuquicamata. Mina de Cobre.** *Chuquicamata Cooper Mine.*

AA

**Litio.** *Lithium Mine.*

AA

**Salitre.** *Nitrate.*

AA

**Sal.** *Salt.*

**ENGLISH**

# ECONOMY

## MINING

*The richest sector of the Chilean economy is mining. Vast copper deposits make Chile the second largest producer in the world. Copper mining is carried out mainly in the north of the country, Chuquicamata in the 2nd region is the biggest open-cast mine in the world, other big deposits are, La Escondida and Cerro Colorado. Besides copper, Chile's subsoil and sea bed also abound in mineral and energy resources, such as nitrates, and the country is the world's foremost producer. Other minerals, such as iron, borax, molybdenum, gold, silver, lithium, limestone, sulphur, zinc, salt, iodine, gypsum and baryta, form part of the nation's mineral wealth, and natural gas and methanol constitute important sources of revenue for future economic growth.*

## AGRICULTURE AND FORESTRY

*The mild climatic conditions prevalent in most of the country allow homogeneous agricultural production. In the north, the microclimates of the oases favour the production of guavas, lemons, olives and all kinds of vegetable produce. In "Norte Chico", the vine is cultivated for making "pisco", a type of liquor, and wine. Efforts are being made to halt the spread of the desert, and erosion by the sea. In the traditionally agricultural Central and Southern regions, cereals are mainly*

ESPAÑOL combatir al desierto por un lado y a la erosión marina, por otro. En la zona central y sur, históricamente agrícola, se cultivan principalmente cereales, alfalfa, trébol, trigo, cebada, hortalizas, frutas, vid y remolacha.

La riqueza del suelo chileno se manifiesta en la gran variedad de frutas existentes, desde productos semitropicales hasta aquellos propios de climas mediterráneos. A lo largo del territorio se dan el kiwi y las manzanas, naranjas, peras de agua, castañas, frutillas, papayas, melocotones, damascos, frambuesas, sandías, melones, chirimoyas.

Chile tiene una tradición vitivinícola que se remonta a la época colonial. Unico país exento del filoxera, Chile exporta sus vinos a los principales mercados internacionales.

El gran desarrollo agrícola se debe a la racionalidad del trabajo y al adecuado regadío de los campos, por las grandes centrales hidroeléctricas del Valle Central y sur, superando los índices habituales de hectáreas plantadas. Gran importancia para el desarrollo industrial y económico del país tiene la industria forestal. El alto volumen de producción maderera lo coloca en un lugar destacado dentro del concierto mundial.

EH

Uva de mesa. *Harvesting Grapes.*

EH

Packing de fruta. *Packing fruit.*

GW

Bodega de vino. *Wine cellar.*

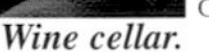

ENGLISH *grown, together with alfalfa, clover, wheat, barley, vegetable produce, fruits, grapes and sugar beet.*

*The richness of the Chilean soil is reflected in the wide variety of fruits grown, from semi-tropical varieties to produce typical of a Mediterranean climate. Kiwis, apples, oranges, plums, pears, chestnuts, strawberries, paw-paws, peaches, apricots, raspberries, watermelons, melons and chirimoyas are grown throughout the country.*

*Chile has a wine culture that goes back to colonial times. It is the only country unaffected by phylloxera, and now Chilean wines are widely sold abroad.*

*Progress in the agricultural sector is due to the rationalization of working methods and adequate irrigation, provided by the huge hydroelectric stations in the Central Valley and the south; these two factors have resulted in a greater average yield per hectare.*

*The forestry sector is also of great importance for the country's industrial and economic development. Thanks to the great volume of wood produced, Chile ranks high amongst the world's timber-producing nations.*

## GANADERIA

Junto a la agricultura, la explotación ganadera es igual de variada.

Desde el pastoreo de camélidos en el altiplano nortino, hasta el de ovinos en las praderas de Tierra del Fuego, el suelo de Chile permite la labor de crianza de todo tipo de ganado, de aves de corral y de roedores de piel fina. En la actualidad, la masa de ganado bovino supera los 4,5 millones de cabe-

KF

Embarque de madera. *Exporting timber.*

## STOCKBREEDING

*In Chile, stockbreeding is as varied as agriculture. The land allows all types of livestock to be bred, from poultry to fine-furred rodents; from camelidae in the northern "altiplano" to sheep in the pasturelands of Tierra del Fuego. At the moment, Chile has more than 4,5 million head of cattle, more than 3,5 million head of sheep and more than 1 million*

ESPAÑOL zas, en tanto el ovino sobrepasa los 3,5 millones y el de cerdos, el millón de cabezas. La producción de aves de corral supera los 30 millones de unidades anuales.

## PESCA

La presencia del mar en la actividad económica es vital. Flotas pesqueras con un adecuado nivel tecnológico hacen posible que Chile acreciente cada día más su trabajo en el mar. El sector pesca ha llegado al nivel más alto de su historia, al alcanzar los casi cinco millones de toneladas de captura en el año, con lo que se ha convertido en la tercera potencia pesquera mundial.
Los 4.200 kilómetros de costa que posee Chile han permitido la rápida expansión de la industria pesquera y han ayudado a crecer a los sistemas de pesca artesanal, al incentivar la instalación de industrias procesadoras o transformadoras del alimento que entrega el mar. La creación de fábricas procesadoras de harina de pescado, de la cual es el segundo productor mundial, y de aceite de pescado, así como las plantas conserveras de los productos del mar, le han cambiado la fisonomía al rostro de los puertos y caletas de Chile. Este gran recurso genera en la actualidad un importante ingreso de divisas por concepto de exportación, lo que indica la importancia que adquiere para la economía nacional. Centollas, locos o abalones, langostas, ostras, erizos de mar, son los mariscos que más entrega el mar a la industria chilena, mientras que la sardina, el jurel, la anchoveta, la merluza, la albacora y el congrio, son las más importantes especies de la fauna marina.
En los últimos años, la acuicultura ha permitido a

Ganado en Curahue. *Cattle in Curahue.* AA

Barco pesquero. *Fishing boat.* GW

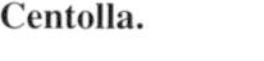
Centolla. *King crab.* EH

Fábrica de pescado. *Fish Factory.* EH

ENGLISH *pigs. The breeding of poultry produces more than 30 million birds per year.*

## FISHING

*The sea has played a predominant role in Chile's economic development. Fishing fleets, equipped with the necessary technology, allow Chile to expand her activities in this sector year after year. The fishing sector is at the highest point in its history - with an annual catch of almost 5 million tons - and Chile has become the third fishing nation in the world.*
*The country's 4,200 kilometres of coastline are responsible for the rapid expansion of the fishing industry, helping small-scale fishing to grow, in the process. Processing plants for harvesting the riches of the sea have been set up. The creation of fishmeal processing plants - Chile is the world's second producer of fishmeal and fish oil - and of seafood canning industries have changed the face of ports and coastline. This important resource produces significant foreign currency from exports, which is indicative of their importance for the national economy. Spider crabs, "locos" or abalones, lobsters, oysters and sea urchins are the commonest shellfish found in our waters, but sardines, saurel, anchovies, hake, albacore and conger eel are the most important of all our marine fauna.*
*In recent years, aquiculture has allowed Chile to develop new technologies and products for export as, for example, salmon.*
*The amazing length of the Chilean coastline, washed by the Pacific Ocean and with the riches of the sea near to hand, has turned*

ESPAÑOL Chile desarrollar nuevas tecnologías y productos de exportación, como el salmón.
La gran extensión del litoral chileno, enfrentado al Océano Pacífico, hace del país entero una gran factoría pesquera, teniendo de esa manera la riqueza del mar prácticamente al alcance de la mano. La cercanía de los centros urbanos al mar posibilitan el uso de los más modernos sistemas de ayuda a los procesos de captura.
El incremento de la pesca y su industria procesadora han transformado la infraestructura portuaria y las vías de comunicación necesarias para los requerimientos de carga y descarga del comercio internacional y nacional por vía marítima.

El desarrollo agrícola, ganadero, forestal y pesquero, implica un crecimiento industrial relacionado. De ahí que, apoyado por la abundante energía eléctrica, la industria alimentaria adquiera importancia vital para la economía nacional. Frigoríficos, refinerías de azúcar, plantas procesadoras de alimentos e industria pesada indican que Chile está viviendo un crecimiento económico sostenido. Esto redunda en una excelente imagen externa, ya que la alta calidad de sus productos de exportación no es otra cosa que la existencia de recursos, materia prima y métodos científicos rigurosos para la elaboración de los productos, así como un adecuado control de calidad y de higiene.

GW

**Salmonera.** *Salmon farm.*

EH

**Embarque de harina de pescado.** *Shipping fish meal.*

AA

**Puerto de Antofagasta.** *Antofagasta Port.*

EH

**Bolsa de Comercio de Santiago.** *Santiago stock exchange.*

ENGLISH *the country into a huge fishing factory. The proximity of urban centres to the seaboard allows the use of the latest technology in the catching process. The increase in fishing and in the processing industry have transformed port infrastructures and the road network, needed for the transportation of national and international freight, leaving and arriving by sea.*

*Growth in the agricultural, stockbreeding, forestry and fishing sectors goes hand in hand with industrial growth. An example of this is the food industry which, thanks to abundant electrical energy, is becoming increasingly important to the nation's economy. Cold-storage plants, sugar refineries, food processing plants and heavy industry are signs of Chile's sustained economic growth. High quality exports are the result of ample resources, first-class raw materials and rigorous scientific met hods applied in the processing of products, as well as stringent quality control and hygiene observance.*

ESPAÑOL

# FOLCLOR, TRADICION, ARTESANIA Y COSTUMBRES

Los trajes típicos, fiestas, modo de hablar, tradiciones, artesanía y comida popular son diferentes en las distintas zonas que conforman Chile. Las más conocidas y populares fiestas son las del campo: el rodeo, la trilla y la vendimia, donde se puede observar el riquísimo colorido de los trajes huasos, de origen español, así como la música, ejecutada con guitarrones y arpas y acompañada con las palmas de las manos.

Chile, un país profundamente cristiano, les asigna gran importancia a las fiestas religiosas y a las procesiones, que se celebran en distintos pueblos o ciudades a lo largo del país, concitando la atracción de miles de creyentes. La Tirana, Andacollo, San Sebastián de Yumbel, la Fiesta de Cuasimodo y las procesiones náuticas de los pescadores en las caletas y puertos, son importantes por el carácter folclórico y tradicional que preservan y por su colorido y patrimonio cultural. Cada zona tiene sus costumbres, con trajes, instrumentos, música y danzas propias.

En el Altiplano, se bailan las diabladas o los trotes, al son de zampoñas, quenas y charangos; en el Valle Central, la cueca, el baile nacional y la tonada melódica, al son de la guitarra; en el Sur, el vals y la cueca chilota, acompañadas además por instrumentos incorporados, como violines y acordeones. La Zona Sur ofrece además toda la riqueza tradicional del pueblo mapuche, con sus festividades propias, donde sobresalen los adornos de plata y las mantas o ponchos. La música mapuche, con un ritmo y melodía muy peculiares, es ejecutada por el kultrún, tambor,

AA

Rodeo. *Rodeo.*

AA

Manta de huaso.

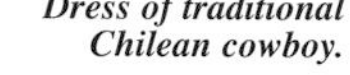

*Dress of traditional Chilean cowboy.*

AA

Payadores. *Minstrels.*

EH

Aperos. *Spurs.*

ENGLISH

# FOLKLORE, TRADITIONS, HANDICRAFTS AND CUSTOMS

*Typical dress, music, festivities, idioms, traditions, handicrafts and food differ, according to the various regions of the country. The most famous, popular festivities are those in rural areas - the rodeo, the "trilla" and the grape harvest. On those occasions, the richly coloured costumes of Spanish origin are very much in evidence and they are livened up by "guitarrón" and harp music, played in time with clapping hands.*

*Chile is a profoundly Christian country and attributes great importance to religious festivities and processions, carried out in towns and cities throughout the land, and attracting the faithful in great numbers. The best know are La Tirana, Andacollo, San Sebastian de Yumbel, the Feast of Quasimodo and the boat processions organized by fishermen in bays and ports. They are important for being part of national folklore and tradition and for their colour and wealth of cultural heritage. Each region has its own customs, dress, instruments, music and dances.*

*In the altiplano they dance "diabladas" or "trotes", to the sound of zampoñas (shepherd's pipes), quenas (rustic flutes) and charangos (small, five-stringed guitars); in the central valley region they dance the "cueca", Chile's national dance, and the "tonada melódica", to the sound of the guitar; in the south, it is the waltz and the "cueca" - the Chilote version, this time-to the accompaniment of additional instruments such as the violin and the accordion. The Southern region has the added attraction of the Mapuche culture, with its wealth of tradition and its own particular festivities which are characterized by the silver adornments, blankets and ponchos worn in them. Mapuche music has its own particular rhythm and melody and is played on the "kultrum", the drum or the "trutruca", a wind instrument made out of a long piece of bamboo or "quila", with a bull's horn at the end of it.*

**ESPAÑOL** y por la trutruca, instrumento de viento confeccionado con una larga caña de bambú o quila y un cuerno de toro en su extremo.

Todo tipo de manifestaciones artesanales se realizan en Chile: cerámica nortina con elementos indígenas; alfarería con influencias moriscas y españolas, como la cerámica perfumada y policromada de las monjas Claras; tejidos realizados en telares manuales con lana de vicuñas y alpacas, en el Altiplano, con motivos precolombinos en el Norte Chico, o gruesos tejidos de lana en Curicó, Temuco y Chiloé. Ponchos y fajas huasas de hilo en Doñihue; cestería, mimbres, trenzados de paja y de crin de caballo; tallados en piedra volcánica, en piedra rosada, en madera, en hueso; aperos de cuero para el campesino, son parte de la variedad artesanal, porque así es el hombre chileno, condicionado por la geografía en donde vive y por las tradiciones que ha heredado generación tras generación.

Las comidas y bebidas chilenas son, a la vez, originales y variadas.

En la costa, se dan todas las variedades de productos del mar preparados de diversas formas; en el norte y en el centro, cocidos al vapor o a la cacerola, y en el sur, especialmente en Chiloé, asados a las piedras. Las cazuelas de ave, empanadas, pastel de choclo y humitas son otros de los platos típicos chilenos. Del mismo modo, son muy apetitosos los dulces y pasteles campesinos. Los vinos, de gran calidad, la chicha, el aguardiente y el pisco son los licores que más gustan de Chile. Isla de Pascua, con su folclor, tradición, costumbres, artesanía y gastronomía tan propios de Oceanía, es un ejemplo más de la enorme diversidad y variedad de elementos de Chile y su pueblo.

AA

Folclor en el Altiplano. *Folklore on the high Plateau.*

EH

Fiesta religiosa de La Tirana. *Religious Ceremony in La Tirana.*

AA

Mujer mapuche. *Mapuche indian woman.*

GW

Ceremonia pascuense. *Easter Island Traditional Ceremony.*

**ENGLISH** *Handicrafts of all kinds are produced in Chile: northern ceramics with indigenous motifs; pottery showing Moorish and Spanish influence, such as the perfumed, polychrome ceramics of the Clara nuns; articles made by hand in the altiplano, on looms using alpaca or vicuña wool, or with pre-Columbian motifs from "Norte Chico"; thick woollen knitwear from Curicó, Temuco and Chiloe; ponchos and huaso-style cotton cummerbunds from Doñihue; basketwork, wickerwork, plaited straw and horsehair figures; sculptures made of volcanic rock, pink stone, wood or bone; leather cowboy clothing. They are all part of the multifarious Chilean handicrafts, as varied as the Chilean himself, conditioned by his natural surroundings and by traditions handed down from generation to generation.*

*Traditional children's games, such as the spinning top, kite-flying, sack races and the greasy pole, live on. They are popular forms of expression that are part of the culture, while Chilean food and drink are, in turn, original and varied.*

*Along the coast there is every type of seafood, prepared in many different ways; in the north and the Central region, stews are very typical, and in the south, particularly in Chiloe, barbecues cooked on hot stones. "Cazuela de ave", (a clear chicken stew), "empanadas", (a sort of pasty), "pastel de choclo", (a corn soufflé with a layer of meat underneath), and also "humitas", (mashed corn, wrapped in its leaves and boiled) are samples of typical Chilean food. Sweets and cakes, cooked from country recipes, are also very tasty. High-quality wine, "chicha", (unfermented grape juice), "aguardiente" and "pisco", (a liquor prepared from grapes), are the most popular drinks with tourists. Easter Island, with its own folklore, traditions, customs, handicrafts and gastronomy of the Oceania region, is just another example of how diverse Chilean people really are.*

## ESPAÑOL TURISMO

La variedad de climas y paisajes hace posible que Chile presente un atractivo interés para turistas y deportistas.
Mar y cordillera de por sí incentivan a conocerlo. La extensión de las playas con temperaturas siempre cálidas en el norte. Esquí acuático, pesca submarina y vela son deportes náuticos que se practican en numerosos lugares de la costa y de los lagos.
Numerosos resorts ubicados a la orilla del mar o de los lagos del sur, como Las Tacas, Puerto Velero, Playa Blanca, Marbella, Ilimay Pucón y Bahía Cohihue, han dado un impluso decisivo al turismo.
El clima agradable de la cordillera en verano y primavera y nevado en invierno, atrae al deportista y al paseante. Excelentes canchas de esquí ubicadas en la cordillera central y sur, como Portillo, Farellones, El Colorado, La Parva, Valle Nevado, Chillán y otros lugares de la montaña, gozan de fama internacional. Interesantes resultan ser las canchas de Punta Arenas, la ciudad más austral del mundo, las que caen directamente al mar.
En tanto, las bajadas de ríos, montañismo, camping y la pesca y caza reglamentada, son otro motivo de interés turístico y deportivo.
La geografía de Chile es tan variada, que es posible esquiar por la mañana y descansar a orillas del mar por la tarde, en un mismo día.
Los innumerables atractivos que ofrece la vida moderna en las ciudades chilenas, dan al turista una grata

Puerto Velero. *Puerto Velero.* GO

Valle Nevado. *Valle Nevado.* GW

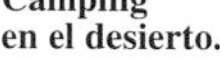

Camping en el desierto. *Camping in the desert.* AA

Ascensor Polanco en Valparaíso. *Ancient cable lift Valparaíso.* EH

## ENGLISH TOURISM

*Chile is becoming more popular as a tourist attraction year by year. The variable climate and geography of the country are ideal for a wide range of leisure activities. The lengthy coastline and the spectacular Andes are reasons enough, but Chile has much more to offer. The mountains attract climbers and nature lovers in the spring and summer months and ski enthusiasts take over in the autumn and the winter to fill the international ski resorts of El Colorado, Farellones, La Parva, Valle Nevado and Chillan. Southern Chile has world class fly fishing to offer in unpolluted rivers and lakes and the turbulent waters of the rivers cascading from the Andes attract river rafters and canoeists from all five continents. The sun worshippers have about 2,000 kilometres of sandy beaches at their disposal from Arica in the north as far as Puerto Montt in the south. Along the way are many famous resorts with international class hotels and Iquique, Tongoy, La Serena and Coquimbo are crowded in the January and February summer months. In the central zone, the holiday resort of Viña del Mar is highly sophisticated with international restaurants, hotels, a casino, race track, night clubs and an international music festival held every year in February.*
*Numerous resorts located along the coast or the southern lakes as Las Tacas, Puerto Velero, Playa Blanca, Marbella, Ilimay, Pucón and Bahia Cohihue, have*

ESPAÑOL estadía, confundiéndose el conocimiento de lugares históricos y culturales, con centros de diversión, como casinos, hipódromos, shows nocturnos.
La riqueza histórica y geográfica también es destacable. En el norte, sobresalen el Parque Nacional del Lauca, con la belleza de sus volcanes nevados, de los lagos del Altiplano, de su fauna y del patrimonio arquitectónico de los pueblos indígenas; también son interesantes los géiseres del Tatio, los salares con fantasmagóricas conformaciones topográficas y los pueblos salitreros abandonados. En el Norte Chico, el valle del Elqui es un sitio con un magnetismo intenso por ser una de las regiones poseedoras de cielos más limpios del mundo. Por eso, en ese valle se encuentran instalados los observatorios astronómicos de los cerros Tololo, La Silla y Las Campanas. El paisaje campestre del Valle Central y la visión de lagos y volcanes en el sur son de una belleza inigualable. Junto a los lagos Villarrica, Llanquihue, Todos los Santos, O'Higgins y Carrera, entre otros, se da un sistema fluvial de anchos ríos, algunos de ellos con navegación de gran calado. La isla de Chiloé presenta elementos históricos y geográficos distintos. La belleza del paisaje, el encanto de la arquitectura chilota, donde se mezclan tradición y funcionalidad, y la mantención de elementos míticos y folclóricos, convierten a la isla y a la zona de los canales en un mundo enigmático y fascinante. En esa región es muy interesante recorrer la zona de los ventisqueros, la

GO
**Andinismo.** *Climbing in the Andes.*

GO
**Pesca en el Sur.** *Fly-fishing in the south.*

AA
**Rafting.** *River rafting.*

GW
**Cabalgata en la Cordillera Central.** *Cavalcade on the high Plateau.*

ENGLISH *boosted the chilean tourist industry.*
*Chile's historical and geographical wealth are also remarkable. The Lauca National Park, in the north, with its breath-taking beauty and its snow-covered volcanoes, lakes, fauna and the architectural heritage of its indigenous groups; the El Tatio geysers, salt lakes with their fantastic topography and old, abandoned nitrate mines. The Elqui valley, situated in "Norte Chico", is a fascinating place, being a region with one of the clearest skies in the world. It is for this reason that space observatories have been set up there, on the hills of Tololo, La Silla and Las Campanas. At the same time, the beauty of the countryside of the Central valley and the lakes and volcanoes in the south are unequalled. As well as the lakes - Villarrica, Llanquihue, Todos Los Santos, O'Higgins and Carrera, to name just a few - the south is criss-crossed by wide rivers, some of them navigable by large ships. Chiloe Island is historically and geographically different: its beautiful countryside, the charm of Chilote architecture, where the traditional and functional come together, and thriving mythology and folklore make this island and the Channel region an enigmatic, fascinating place. In this region are the glaciers, San Rafael lagoon, Torres de Paine, the extensive grassland of Patagonia, Tierra del Fuego Island, Cape Horn and the Antarctic. Frequent trips are organized, as part of tourist*

ESPAÑOL laguna San Rafael, las Torres o Cuernos del Paine, las extensas pampas de la Patagonia, la isla de Tierra del Fuego, los canales como el Beagle y Estrecho de Magallanes, el Cabo de Hornos y el Continente Antártico.

Programas y circuitos turísticos, con el máximo de comodidades, realizan frecuentes viajes por toda la zona austral de Chile.

En pleno Océano Pacífico, las islas chilenas son de vital importancia para el turismo, por sus recursos naturales y principalmente, por su interés histórico. Isla de Pascua es rica en sitios arqueológicos, encontrándose ahí los famosos moais, esculturas de piedra volcánica diseminadas en las laderas del volcán Rano-Kao y en las playas, así como los petroglifos y santuarios, que indican la presencia de una cultura misteriosa, cuya historia aun hoy es enigmática. La preservación de los elementos tradicionales de la raza polinésica, como bailes, idiomas y costumbres, concitan un gran interés turístico. Más cerca del continente se encuentra el archipiélago de Juan Fernández, con vegetación exuberante y muy apreciada por su gastronomía, radicada principalmente en las langostas de gran tamaño y exquisito sabor.

Patrimonio, geografía, costumbres y entretención, de gran variedad a lo largo del país, constituyen uno de los atractivos fundamentales para conocer a Chile.

GW

El "Terra Australis" frente al glaciar Garibaldi. *Cruise ship "Terra Australis" in from of the Garibaldi Glaciar.*

AA

Rehue o tótem mapuche. *Mapuche Totem Pole.*

EH

Iglesia de Guacollo. *Guacollo Church.*

AA

Momia en el Museo de San Pedro de Atacama. *Mummy in the San Pedro, Atacama Museum.*

ENGLISH *circuits and programmes, to Chile's southern region.*

*In the middle of the Pacific Ocean are Chile's island territories, which are very popular with tourists and important for their natural resources, and in particular for their historic interest. Easter Island is rich in archeological sites, with its famous "moais", sculpted out of volcanic rock and scattered on the slopes of the Rano-Kao volcano or on the beach; and petroglyphs and sanctuaries which indicate the presence of an enigmatic culture, whose origins are a mystery even today. The preservation of Polynesian traditions, such as dances, languages and customs, arouses the interest of tourists. Nearer to the Chilean mainland, are the Juan Fernandez islands, characterized by their exuberant vegetation and famed for their gastronomy, that centres mainly round succulent giant-size lobsters.*

*Cultural heritage, geography, customs and pastimes, found in diverse forms throughout the country: what better reasons than these for visiting and getting to know Chile?*

AA

**Iglesia de Caspana**
**I Región.**

*Church of Caspana.*
*Ist. Region.*

## ESPAÑOL LOS CHILENOS

Chile presenta características étnicas bastante definidas, en las cuales predomina el aporte español y el indígena, influido además por su territorio y por un proceso histórico de aportes migratorios de diversos orígenes, tales como alemanes, árabes, israelíes, croatas, italianos, suizos, principalmente. Todos estos elementos han contribuido a la formación de una cultura y un carácter del chileno bastante peculiar, donde podemos distinguir elementos comunes y otros singulares de acuerdo a factores tales como la ubicación dentro del territorio, o actividades comerciales.

Sin embargo, pese a la generalidad del chileno, subsisten subgrupos étnicos de un marcado origen precolombino. De ellos el más representativo es el pueblo mapuche, calculado en más de un millón de personas; los que mantienen sus tradiciones culturales, religiosas e idiomáticas más o menos puras. Otros subgrupos, pero en cantidades minimas, son los aymaras y quechuas que habitan la zona norte, los pascuenses que viven en Isla de Pascua.

Junto a la vida artística impulsada por los centros universitarios y por la labor de organismos estatales y particulares, existen elementos folclóricos característicos de cada uno de los grupos que integran la sociedad. El respeto por el pasado, por otro lado, se manifiesta en la conservación de la arquitectura y de fiestas y celebraciones populares. A lo largo del territorio se van conformando los monumentos arquitectónicos que reflejan cada época histórica. En el norte, los pucarás o pueblos fortalezas de origen incaico y las pequeñas iglesias del Altiplano, don-

AA

AA

AA

EH

## ENGLISH THE CHILEANS

*The Chileans possess ethnic characteristics quite clearly defined. The Spanish and indigenous influences predominate, but successive waves of immigrants, mainly Germans, Arabs, Jews, Croatians, Italians and Swiss, have also helped to mould the Chilean character. All have combined to form a culture quite unique with many elements in common and others more individualistie according to domicile or commercial activities.*

*Howerer, in spite of this generalized view of the Chilean, there are still ethnic groups to be found whose origin is markedly pre-columbian. The most numerous of these are the Mapuches and their total number is slightly over one million. These maintain their traditional cultures, religion and language, virtually in a pure state. Other groups, not so numerous, include the Aymaras and Quechuas and the Pascuenses who live on Easter Island. Together with the artistic life and cultures encouraged by the universities and state organizations, there are also folklore cultures which are an integral part of many groups that make up the Chilean society. There is a great respect for the past, shown in the conservation of architectural treasures and traditional festivals which are maintained perpetually. Throughout the country, monuments which commemorate a particular period of Chilean history are carefully preserved. In the northern part of the country, there are many communities of ancient origin and, noteworthy, are the little churches on the high plateau which go back to the era when chris-*

ESPAÑOL de se funden paganismo y cristianismo; Chiu-Chiu, Toconao y Parinacota son algunos de esos tesoros arquitectónicos. Las ciudades del litoral nortino y del Valle Central, en cambio, poseen un patrimonio netamente europeo, edificios coloniales, ejemplos de la arquitectura de fines de siglo pasado, correspondiente a la época de auge del salitre y la plata; junto a estas formas culturales, las ciudades europeas del sur y la arquitectura propia de la Isla de Chiloé y de la zona de los canales, conforman el legado y el patrimonio arquitectónico de Chile. Museos y colecciones guardan tesoros artísticos e históricos en los que se funden elementos aborígenes, españoles y de la época republicana. El Museo Arqueológico de San Pedro de Atacama, el Museo Histórico Nacional, el Museo de Bellas Artes, el Museo de Arte Precolombino, el Museo de Artes Coloniales de San Francisco y la Pinacoteca de la Universidad de Concepción, son los más importantes de los cientos de museos, colecciones, archivos y galerías en las que se desenvuelve la vida cultural chilena.
Por otra parte, en las últimas décadas, y debido a la mayoritaria concentración urbana de la población, se ha ido desarrollando una vida cultural y social con un marcado carácter citadino, que se expresa en los grados de educación de los chilenos, en la arquitectura modernista que se impone en las principales ciudades del país, en los problemas propios de las grandes urbes.
En síntesis, los chilenos, independientemente de la composición étnica que la nación tiene, poseen en la actualidad un marcado carácter urbano, lo que les otorga una singularidad muy específica.

AA

GW

AA

GW

ENGLISH *tianity and paganism were founded, Chiu-Chiu, Toconao and Parinacota are three of the most famous and all attract many visitors.*
*The cities along the northern coast and the Central Valley, in contrast have more of a European influence with many well-preserved colonial buildings dating from the past century and the boom in nitrates and silver. Further south, the cities still show their European styles and the totally individualistie architecture of Chiloe island and the region of the rivers and channels both observe the architectural patrimony of the country. Museums and private collections guard artistic and historical treasures including many from the aborginees, the Spanish conquistadores and the republican eras. The Archaeological Museum of San Pedro, Atacama, the National History Museum, the Museum of Fine Arts, the Museum of Pre-Colombian Art, the Colonial Arts Museum of San Francisco, the Concepcion University Art Gallery are the most important of the hundreds of museums, collections, archives and galleries where Chilean cultural life is unfolded. In recent times, following the world trend towards urbanization and greater concentration of city dwellers, the social and cultural life is city-orientated, expressed in educational grades and the modern architecture which has been introduced in all the big cities with predictable social problems. The Chileans, however, irrespective of their ethnie-origins, have at the present time a distinctly urban outlook which gives them a certain individuality and character quite unique in Latin America.*

AA

**Nevados de Putre (5.861 m).**
**I Región.**

***Snowfall in Putre (5,861 m).***
***Ist. Region.***

EH

**Lago Chungará,**
**Cerro Quisiquisiri (5.480 m).**
**I Región.**

***Lake Chungara,***
***Mount Quisiquisiri (5,480 m).***
***Ist. Region.***

EH

**Geoglifos de Pintados.**
**I Región.**

***Geoglyphs, Pintados.***
***Ist. Region.***

GW

**Llareta, planta del desierto.**
**I y II Región.**

***Desert plant, Llareta yareta.***
***Ist. and 2nd. Region.***

GW

**Flamencos, Salar de Huasco.**
**I Región.**

***Flamingoes, Salar de Huasco.***
***Ist. Region.***

GO

**Salar de Surire.**
**I Región.**

***Salar de Surire.***
***Ist. Region.***

AA

**Socaire,**
**Cerro Tumisa (5.658 m).**
**II Región.**

***Socaire.***
***Mount Tumisa (5,658 m).***
***2nd. Region.***

GW

**Géiser del Tatio.**
**II Región.**

***Tatio Geyser.***
***2nd. Region.***

AA

**Salar de Carcote,**
**Volcán Ollagüe (5.863 m).**
**II Región.**

***Salar de Carcote,***
***Ollagüe Volcano (5,863 m).***
***2nd. Region.***

AA

**Volcán Lascar (5.154 m).**
**II Región.**

***Lascar Volcano (5,154 m).***
***2nd. Región.***

AA

**Salar de Tara.**
**II Región.**

***Salar de Tara.***
***2nd. Region..***

AA

**Cactus de San Pedro.**
**II Región.**

***San Pedro Cactus.***
***2nd. Región.***

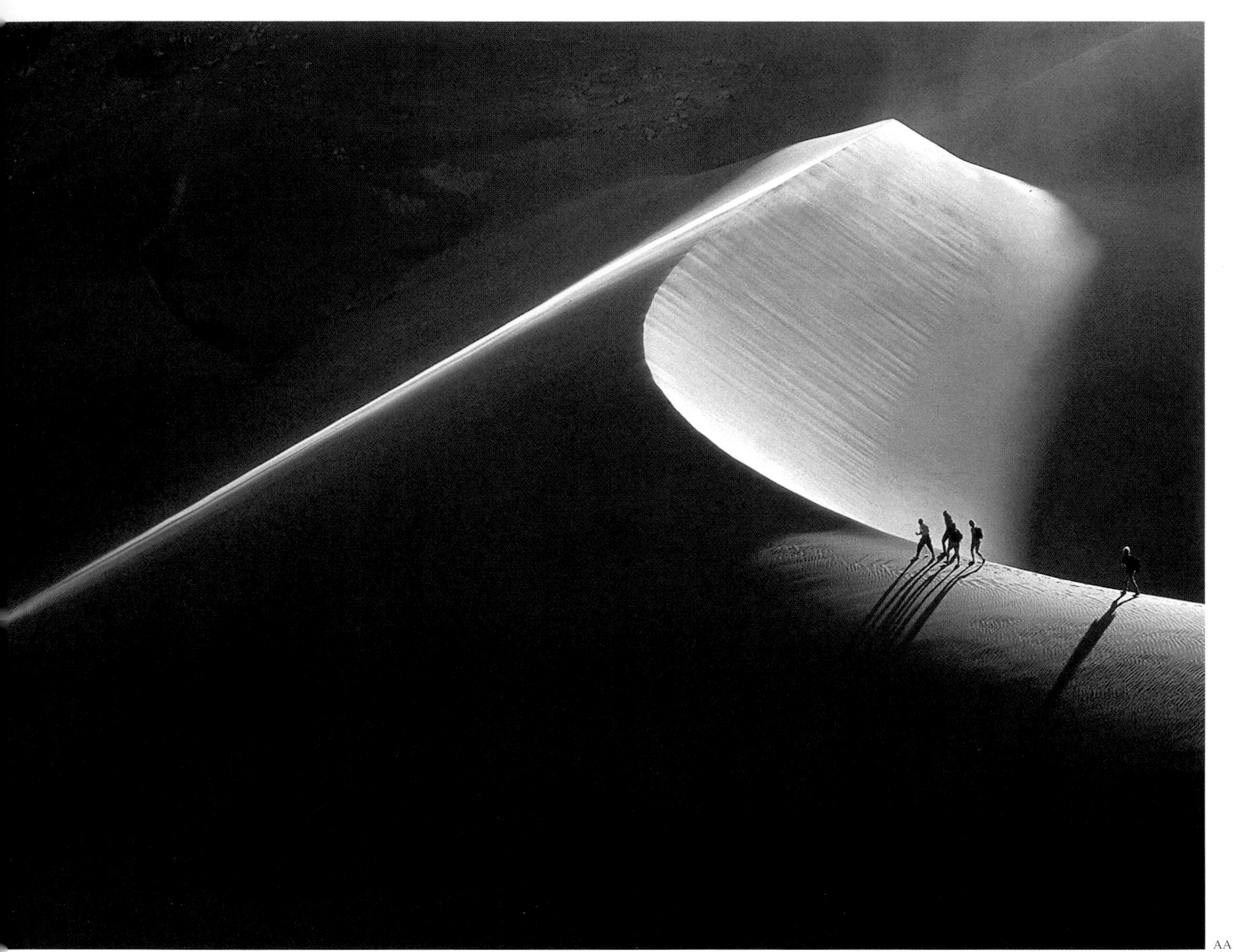

AA

**Cordillera de la Sal.**
**II Región.**

*Salt Ridge.*
*2nd. Region.*

AA

**Laguna Miñiques.**
**II Región.**

*Miniques Lagoon.*
*2nd. Region.*

GW

**Valle de la Luna.**
**II Región.**

*Valley of the Moon.*
*2nd. Region.*

AA

**La Portada de Antofagasta.**
**II Región.**

*Portada de Antofagasta.*
*2nd. Region.*

AA

**Parque Nacional Pan de Azúcar.**
**III Región.**

***Pan de Azucar National Park.***
***3rd. Region.***

GO

**Penitentes en la Puna de Atacama. III Región.**

***Penitents in the Atacama Desert. 3rd. Region.***

GO

**Laguna del Negro Francisco.**
**III Región.**

***Negro Francisco Lagoon.***
***3rd. Region.***

GO

**Laguna Verde.**
**III Región.**

***Green Lagoon.***
***3rd. Region.***

GW

**Valle de Copiapó.
III Región.**

***Copiapo Valley.
3rd. Region.***

EH

**Salar de Maricunga.**
**III Región.**

***Salar de Maricunga***
***3rd. Region.***

GW

**Desierto florido.**
**IV Región.**

***Florid Desert.***
***4th. Region.***

EH

**Valle del Elqui.**
**IV Región.**

*Elqui Valley*
*4th. Region.*

EH

**Costa cerca de Los Vilos.**
**IV Región.**

***The Coast near Los Vilos.***
***4th. Region.***

GW

**Valle de San Felipe.**
**V Región.**

***San Felipe Valley.***
***5th. Region.***

GW

**Playa de Viña del Mar.**
**V Región.**

***The Beach at Viña del Mar.***
***5th. Region.***

GW

**Cordillera Central.**
**Región Metropolitana.**

***The Central Mountain Range.***
***Metropolitan Region.***

GW

**Isla de Pascua.
El altar, Ahu Tongariki
y sus quince Moais.**

***Easter Island.
The Ahu Tongariki Altar
and its 15 Moais.***

GW

**Isla de Pascua.**
**Competencia acuática durante la Tapati Rapa Nui.**

***Easter Island.***
***Traditional Boat Race during The Rapa Nui Festival.***

GW

**Isla de Pascua.**
**Playa de Anakena.**

***Easter Island.***
***Anakena Beach.***

GW

**Isla de Pascua.
Moai al pie del volcán
Rano Raraku.**

***Easter Island.
Moai at the foot of the
Rano Raraku Volcano.***

GW

**Isla de Pascua.**
**Islotes Motu Kao Kao,**
**Motu Iti y Motu Nui.**

***Easter Island.***
***The three Islets of Motu Kao Kao,***
***Motu Iti and Motu Nui.***

GW

**Isla de Pascua.**
**Cocoteros frente a**
**la playa de Anakena.**

***Easter Island.***
***Coconut Palms surrounding***
***the Anakena Beach.***

EH

**Pueblo típico de Vichuquén.**
**VII Región.**

***The traditional Village of Vichuquen.***
***7th. Region.***

GW

**Las Siete Tazas de Radal.**
**VII Región.**

***The Seven Pools of Radal.***
***7th. Region.***

EH

**Parque Nacional Conguillío.**
**IX Región.**

***Conguillio National Park.***
***9th. Region.***

EH

**Araucarias, árboles centenarios.**
**IX Región.**

***Araucarias, century-old trees.***
***9th. Region.***

AA

**Ojos del Caburgua.**
**IX Región.**

*Ojos del Caburgua.*
*9th. Region.*

AA

**Caburgua.**
**IX Región.**

***Caburgua.***
***9th. Region.***

AA

**Volcán Llaima (3.125 m).**
**IX Región.**

***Llaima Volcano (3,125 m).***
***9th. Region.***

AA

**Cráter Navidad,**
**Volcán Lonquimay (2.726 m).**
**IX Región.**

***Lonquimay Volcano (2,726 m).***
***Christmas Crater,***
***9th. Region.***

AA

**Saltos del Petrohué.**
**X Región.**

***Petrohue Springs.***
***10th. Region.***

GO

**Volcán Puntiagudo (2.493 m).**
**X Región.**

*Puntiagudo Volcano (2,493 m).*
*10th. Region.*

GW

**Pueblo de Cochamó.**
**X Región.**

***The Village of Cochamo.***
***10th. Region.***

AA

**Volcán Osorno (2.652 m).**
**X Región.**

***Osorno Volcano (2,652 m).***
***10th. Region.***

EH

**Lago Yelcho.**
**X Región.**

***Lake Yelcho.***
***10th. Region.***

GW

**Isla Aucara, Chiloé.**
**X Región.**

*Aucara Island, Chiloe.*
*10th. Region.*

GW

**Fiordo Leptepu.**
**X Región.**

***Leptepu Fiord.***
***10th. Region.***

GW

**Parque Nacional Hornopirén.**
**X Región.**

***Hornopiren National Park.***
***10th. Region.***

GW

**Rio Blanco.**
**X Región.**

***Rio Blanco.***
***10th. Region.***

GW

**Regata en Chiloé.**
**X Región.**

***Chiloe Regatta.***
***10th. Region.***

GW

**Parque Nacional Torres del Paine, el Macizo desde el lago Pehoé. XII Región.**

***Peaks in the Torres del Paine National Park with Lake Pehoe in the foreground, 12th. Region.***

JPL

**El Parque Nacional Torres del Paine, forma parte de la Red Mundial de Reservas de la Biosfera. XII Región.**

***The Torres del Paine National Park, included in the Global Network of Biosphere Reserves. 12th. Region.***

GW

**Parque Nacional Torres del Paine.**
**Valle del Francés.**
**XII Región.**

***Torres del Paine National Park.***
***The Frenchman's Valley.***
***12th. Region.***

GO

**Parque Nacional Torres del Paine.**
**Las Torres.**
**XII Región.**

***Torres del Paine National Park.***
***The Towers.***
***12th. Region.***

GW

**Parque Nacional Torres del Paine.**
**El Glaciar Grey.**
**XII Región.**

***Torres del Paine National Park.***
***The Grey Glacier.***
***12th. Region.***

GW

**Parque Nacional Torres del Paine.**
**Los Cuernos.**
**XII Región.**

***Torres del Paine National Park.***
***The Horns.***
***12th. Region.***

GW

**Antártica.**
**Bahía Paraíso.**
**XII Región.**

***Antarctic.***
***Paradise Bay.***
***12th. Region.***

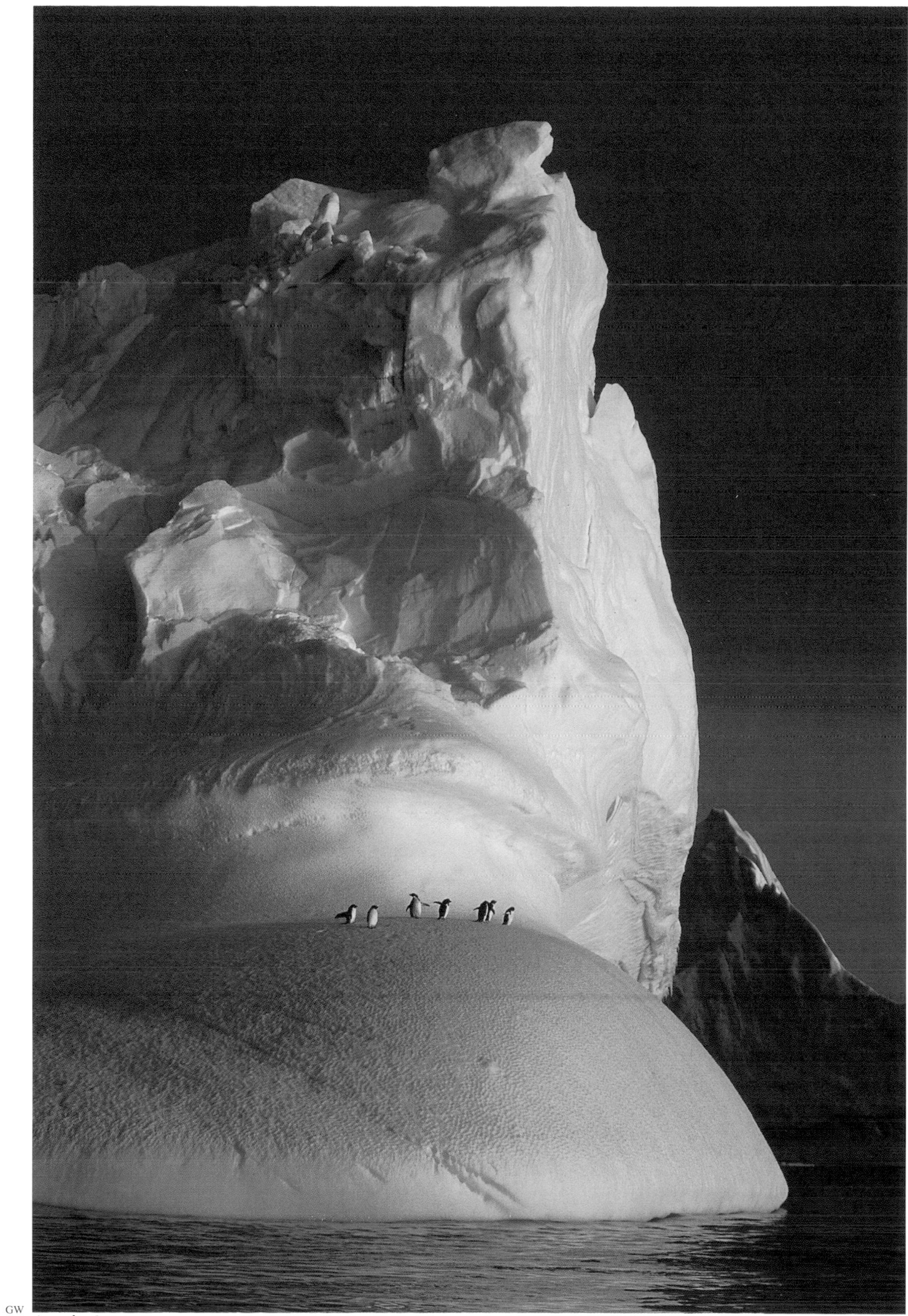

GW

**Antártica.**
**Pingüinos sobre un témpano.**
**XII Región.**

***Antarctic.***
***Penguins on the Iceberg***
***12th. Region.***

GW

**Antártica.**
**Rompehielos de la Armada de Chile.**
**XII Región.**

***Antarctic.***
***Ice-breaker, Chilean Navy.***
***12th. Region.***

GW

**Antártica.**
**Isla Bravante.**
**XII Región.**

***Antarctic.***
***Bravante Island.***
***12th. Region.***

GW

**El Copihue.**
**La flor nacional de Chile.**

***The Copihue.***
***Chilean National flower.***